LECTURES CLE EN FRANCAIS FACILE

ASSURANCE TOURISTES

DOMINIQUE RENAUD

© CLE International, 1999 - ISBN : 209-031823-6

DOMINIQUE RENAUD aura 40 ans en 2001.

Professeur de lettres, il est actuellement attaché linguistique au Paraguay.

Spécialiste du Français Langue Étrangère, il est auteur de plusieurs ouvrages dans ce domaine.

En 1995 paraît son premier roman policier : *Morts à l'appel*. Suivent d'autres titres : *Certains l'aiment froide, État d'arme, Feinte Alliance*.

Dominique Renaud a publié également des poèmes et des nouvelles.

Les mots ou expressions suivis d'un astérisque* dans le texte sont expliqués dans le Vocabulaire, page 57.

Paris, le 2 août.

Chère petite soeur,

Je suis désolé de t'écrire si tard ; depuis le mois de mai, je cherche du travail pour l'été. Cela me prend beaucoup de temps. De plus, il y a eu les examens de fin d'année à la faculté des Beaux-Arts*. Nous étions nombreux, et il y avait peu de places. Enfin, ça y est ! je viens de trouver un job pour le mois d'août ! Guide touristique. Je suis très content : ce n'est pas mal payé et ce travail me plaît. Ce sera une bonne expérience.

Je vais accompagner un groupe de Japonais dans l'ouest de la France pendant un mois. Chartres, Blois, Chambord, Poitiers… Un parcours de six cents kilomètres qui nous permettra de visiter des parcs, des musées, des châteaux… et le Futuroscope* !

Ils sont une quinzaine, plus leur professeur, ainsi qu'une responsable française payée par l'agence de voyages. Je l'ai rencontrée hier après-midi. Elle s'appelle Julie Barthe. Elle a 25 ans et parle six langues : anglais, allemand, italien, espagnol, arabe et japonais. Cette jeune femme est formidable; et elle a beaucoup de charme.

Nous partons demain. Nous quittons Paris à 6 h 30 du matin. Direction : Chartres. Je suis vraiment heureux de partir. Je vais revoir beaucoup de choses ; des cathédrales*, des abbayes*, des châteaux. Pour moi, c'est l'idéal.

Et toi, comment vas-tu ? Comment se passent tes études à Washington ? Est-ce que tu donnes des leçons de français aux jeunes Américains ?

J'attends de tes nouvelles.

Ton grand frère qui t'aime.

Olivier.

P.S.[1] : Tu as eu une bonne idée de me donner ton adresse sur Internet. C'est maintenant plus simple et plus rapide de t'écrire. Je prends mon ordinateur portable avec moi. Voici mon adresse électronique : olivier@fle.fr

---

1. P.S. : abréviation de « Post-scriptum » : renvoi à la fin d'une lettre, d'un courrier.

Chartres, le 4 août.

Ma petite sœur chérie,

Nous sommes partis hier de Paris au petit matin. Il y avait peu de monde à la sortie de la capitale. Les vacanciers ont quitté Paris le week-end dernier ; j'ai eu l'impression de ne plus reconnaître le périphérique[1].

Le groupe de Japonais est plutôt sympathique. En fait, je dois dire… Japonaises : ce ne sont que des filles ! Elles ont entre seize et dix-huit ans. Elles sont de Kyoto et fréquentent un lycée privé où l'on apprend le français. Elles sont toutes habillées de la même manière : chemise et chaussettes blanches, robe bleu marine. C'est la première fois qu'elles viennent en France, mais elles ont appris par cœur les noms des monuments de Paris. Et ils sont nombreux ! Elles ont

1. Périphérique : voie rapide qui rend plus facile la circulation autour de la ville (de Paris).

l'air très contentes de m'avoir comme guide. Julie leur a expliqué que je suis étudiant aux Beaux-Arts et que je connais très bien la région que nous allons visiter.

Hier donc, après une heure d'autoroute, le conducteur de l'autocar nous a laissés devant la cathédrale de Chartres. C'est ici que j'ai passé mon examen touristique : deux heures de visite guidée dans l'une des plus belles cathédrales du monde. Savais-tu, petite sœur, que les vitraux* de Chartres sont les plus beaux de France ? Et que les personnages sculptés* sont au nombre de quatre mille ?

Mes amies japonaises ont trouvé ça fantastique. Elles m'ont posé plein de questions : par exemple, la différence qu'il y a entre l'art gothique* et l'art roman*. Mais elles connaissent déjà beaucoup de choses ! Et elles notent tout ce que je dis sur leur cahier !

Il fait déjà très chaud ici : trente degrés. Heureusement, les églises sont fraîches. Nous avons pu ainsi visiter la cathédrale sans fatigue. Nous avons pris le temps de déjeuner et de nous reposer un peu. Puis nous avons repris la route en direction de Blois. Le Val de Loire. Le pays de Rabelais*, de Ronsard* et de Balzac*. Julie et moi avons parlé un peu ; de notre vie, de nos études. Je lui ai demandé comment elle faisait pour connaître six langues. Elle m'a expliqué que ses parents voyageaient beaucoup parce que son père travaillait à l'étranger. En fait, elle a vécu aux quatre coins du monde. Elle a appris vite en raison, me dit-elle, de son ennui[1]. « Petite, je m'ennuyais tellement à l'étranger que je n'avais rien d'autre à faire que d'apprendre une nouvelle langue. » Ses parents sont aujourd'hui à la retraite[2]. Elle a un frère et une sœur. Sa famille semble avoir beaucoup d'argent. Le mois prochain, elle part pour Nice où elle possède un appartement. Un studio, me dit-elle, acheté l'an dernier par ses parents. Petit, mais très pratique, propre, confortable… et face à la mer.

Pour te dire la vérité, Julie me plaît beaucoup. Elle a des yeux comme je les aime, couleur de mer. De plus, elle s'intéresse à la peinture et à l'architecture*. Cependant il y a quelque chose en elle de bizarre, d'inexplicable. Je ne sais pas comment te dire mais… j'ai l'impression qu'elle est trop bien pour ce travail !

---

1. Ennui : état de quelqu'un qui ne sait pas quoi faire, qui ne s'intéresse à rien.
2. Retraite : état de quelqu'un qui n'est plus dans la vie active.

Chambord, le 5 août.

Tu trouveras une photo du château de Chambord à la fin de mon courriel[1]. C'est le premier château de notre itinéraire. Et quel château ! Est-ce que tu te souviens de notre visite il y a cinq ans ? Un ami se mariait, pas loin d'ici. Nous y sommes allés le lendemain. C'était en juin. Il faisait frais mais beau. Il n'y avait personne. Notre guide était un vieux monsieur qui parlait vite. Depuis quatre cents ans, les gens qui viennent voir Chambord l'admirent. Le château date de la Renaissance*, mais en vérité il se présente comme un château médiéval*, avec son puissant donjon* carré et ses quatre tours. C'est ce qui fait son charme, sa beauté romantique.

Pour le professeur Suzuki, qui accompagne le groupe, c'est le plus beau des châteaux de la Loire, car le plus vaste et le plus imposant[2].

Pour Yoko, son escalier (« où les gens se croisent mais ne se rencontrent pas », disait

1. Courriel : autre façon de nommer le courrier électronique.
2. Imposant : qui impressionne par la grandeur.

Chateaubriand*) est aussi magnifique que celui de Blois.

Pour Chikako, l'immense parc peuplé de cerfs et de sangliers, ainsi que la lumière du soleil matinal en font le lieu le plus magique de la région.

Bref, tout le monde aime. Alors, nous sommes restés presque toute la matinée. C'était vraiment très agréable. Cependant, je dois dire que j'ai ressenti un certain malaise[1]. Voilà : j'ai eu l'impression que quelqu'un nous suivait. « Quelqu'un », je veux dire un homme et une femme. Au début, je me suis dit qu'ils profitaient de mes explications sur telle ou telle partie du château. Le problème, c'est qu'ils nous suivaient déjà depuis l'hôtel où nous sommes allés déposer les bagages. Je n'ai pas voulu en parler à Julie. Après tout, ils sont peut-être descendus dans le même hôtel et ont décidé de visiter Chambord au même moment que nous !

Vers une heure, Julie a proposé de pique-niquer[2] sur place. C'était une très bonne idée. Elle m'a posé plusieurs questions sur l'escalier qu'elle considère comme la construction la plus formidable du château. Je lui ai dit que c'était certainement une idée de Léonard de Vinci*. Les filles, elles, m'ont posé des questions sur les rois,

---

1. Malaise : sensation que quelque chose n'est pas normal.
2. Pique-niquer : prendre un repas rapide en plein-air.

leurs épouses, la chasse à courre[1]. Elles ont du mal à imaginer comment les gens vivaient à cette époque, le château leur paraît si grand !

Quand je pense qu'à la fin de la semaine nous allons visiter le Futuroscope ! Ça va les changer ! Il paraît que le « parc européen de l'image » attire chaque année des centaines de milliers de visiteurs (près de trois millions l'année dernière!). Tu m'as déjà dit que tu ne connaissais pas cet endroit. Eh bien, imagine-toi quinze ans en arrière : 1984. Une plaine déserte. À quelques kilomètres de là, une ville, Poitiers, où il ne se passe pas grand-chose. Dix ans plus tard, une architecture de verre et d'acier apparaît au milieu des champs. Un parc de loisirs, un espace de formation, un lycée, une université, le CNED[2]..., une aire[3] économique et technologique, ainsi qu'un nombre considérable d'hôtels pour accueillir les visiteurs. Les familles viennent pour voir des images en 3D[4], des films sur des écrans géants ou simuler[5] un vol dans un vaisseau spatial ! Ils sont des millions à venir, petits et grands, tout au long de l'année. Bien entendu, le Futuroscope est

---

1. Chasse à courre : chasse où l'on poursuit le gibier à cheval avec des chiens.
2. CNED : Centre National d'Enseignement à Distance.
3. Aire : ici, une région.
4. Images en 3D : images en 3 dimensions, en perspective.
5 .Simuler : vivre une expérience comme dans la réalité, faire semblant.

devenu le plus gros employeur[1] du département.

Si tu veux mon avis, je préfère les vieilles pierres. Tu m'as toujours dit que je n'étais pas assez moderne. C'est vrai. Par exemple, je n'ai jamais aimé New York (sauf ses musées) ; mais toi, tu adores. Les églises de Bretagne sont pour moi une merveille, mais toi tu t'y ennuies. J'ai visité cent fois la Sainte-Chapelle* à Paris ; toi, pas une seule. Lorsque je te proposais de venir avec moi, tu avais toujours quelque chose à faire. En revanche, lorsque nous sommes allés ensemble à Barcelone, la première chose que tu as faite, c'est de visiter la cathédrale de la Sainte-Famille, de Gaudi* !

Décidément, nous ne sommes pas faits pour vivre ensemble... mais je t'aime quand même !

---

1. Employeur : personne qui propose du travail à quelqu'un.

Blois, le 6 août.

Nous sommes arrivés à Blois dans l'après-midi et sommes allés directement au château, avant la fermeture. Les filles ont été émerveillées par l'escalier* Renaissance de François Ier*. La visite a duré deux heures. Nous étions tous fatigués. Aussi Julie a proposé d'aller poser nos bagages à l'hôtel, de prendre une douche, de nous changer et de nous donner rendez-vous dans le hall à dix-neuf heures, pour le dîner.

Impatientes et très heureuses de se trouver parmi nous, nos amies nous attendaient bien avant l'heure. Moi, je consultais une carte touristique du Val de Loire à la réception[1]. Nous avons donc parlé. J'en ai profité pour apprendre une fois pour toutes leurs prénoms : Yoko, Mitsuko, Chikako... Puis je leur ai proposé de prendre un apéritif – jus de fruits et Coca-Cola ! – dans le salon en attendant Julie et leur professeur. Elles

---

1. Réception : lieu où l'on accueille les clients de l'hôtel.

m'ont demandé de leur parler du programme du lendemain. J'ai voulu qu'elles me parlent d'abord de leur pays, le Japon, et de leur ville, Kyoto, que je ne connais pas. Elles m'ont expliqué que c'était difficile pour elles, car les habitudes là-bas sont très différentes d'ici. J'ai voulu savoir ce que leurs parents faisaient comme travail. L'un était ingénieur, l'autre informaticien ; un troisième employé dans une banque, un quatrième restaurateur, spécialisé dans la cuisine du sushi, un poisson très apprécié des Japonais, que l'on mange cru[1]. Yoko m'a raconté qu'il existe un poisson, appelé « poisson bouffi », que seuls des spécialistes peuvent préparer pour leurs invités car il contient un poison mortel !

Au cours de notre discussion, j'ai remarqué que Chikako ne parlait pas, ou très peu, lorsque je lui posais des questions sur sa famille. Je l'ai vue rougir quand je lui ai demandé ce que faisait son père ; et ses amies semblaient ne rien savoir. Personnellement, j'ai trouvé ça étrange. J'ai voulu en parler à Julie, mais le professeur et elles sont arrivées ensemble et nous sommes alors sortis pour aller dîner.

Le patron du restaurant est un homme charmant, curieux et qui connaît la région du Val de Loire comme sa poche[2]. Nous avons eu droit à un

1. Cru : qui n'est pas cuit.
2. Connaître comme sa poche : connaître très bien quelque chose.

cours sur les musées de sa ville, les tours médiévales de Saumur et Amboise, les jardins splendides de Villandray, que les Japonais, paraît-il, trouvent merveilleux, bien que très différents du style oriental. Bien sûr, il nous a parlé des spécialités gastronomiques[1] de sa région, du poisson, du gibier[2] servis avec les célèbres vins de Loire, frais et légers. À ce propos, il nous a fait goûter trois rouges et deux blancs, tous différents. Mme Suzuki, le professeur, a bu une dizaine de verres à elle toute seule. Mais elle a gardé son calme et sa politesse habituels.

1. Gastronomique : qui concerne la bonne cuisine.
2. Gibier : ensemble des animaux que l'on chasse.

SORTIE
124

Poitiers, le 7 août.

Petite sœur,

J'ai vécu aujourd'hui des heures très difficiles ; à vrai dire, un cauchemar[1] ! Ce matin, Julie est venue frapper à ma porte à 7 h 30 pour m'annoncer, tu sais quoi ? la disparition de Chikako, l'une des Japonaises de notre groupe ! Elle n'était pas dans sa chambre quand son amie est venue la voir pour descendre avec elle prendre le petit déjeuner. Julie et moi sommes allés dans la chambre de Chikako. Son lit n'était pas défait. Les draps étaient intacts[2], et sa valise n'était pas ouverte. Elle n'a pas couché à l'hôtel cette nuit ; c'est une certitude. Bien entendu, tout le monde est surpris. On se demande où elle a bien pu aller : elle ne connaît pas la ville et ne parle pas encore correctement le français pour demander des renseignements. Bref, sa disparition est un mystère,

1. Cauchemar : mauvais rêve.
2. Intact : que l'on n'a pas touché.

une énigme[1], et pour tout dire : un drame.

Dès qu'elles ont appris la nouvelle, ses camarades se sont mises à pleurer. J'ai appelé un docteur et averti immédiatement la police. De son côté, Julie a prévenu l'agence de voyages en laissant un message sur le répondeur[2].

Le commissaire est arrivé une demi-heure après mon appel. C'est la première fois que j'en vois un en face de moi. Il s'appelle Delcour. Il a environ cinquante ans, il est assez grand, très gros et très noir de poil. Et puis, chose incroyable, il ressemble à François Ier ! Les mêmes petits yeux, le même gros nez.

Il m'a posé beaucoup de questions sur mon emploi du temps de la nuit dernière. Je lui ai dit que je suis sorti de l'hôtel vers 20 h 30 pour aller dîner en ville parce que c'était le seul jour de la semaine où j'étais libre après vingt heures.

– Seul ? m'a-t-il demandé.

– Oui, seul. Je ne connais personne à Poitiers. Vous pouvez vérifier auprès du patron du restaurant *Les bons enfants*.

– À quelle heure êtes-vous revenu au *Continental* ?

– Aux environs de 22 h 30.

– Directement du restaurant ?

---

1. Énigme : une chose difficile à comprendre.
2. Répondeur : appareil qui permet de délivrer un message enregistré.

– Oui.

– À pied ?

– En taxi. Le centre n'est pas loin, mais j'avais envie de me coucher tôt. Arrivé devant l'hôtel, je suis descendu de voiture, j'ai payé le taxi...

– Et c'est à ce moment-là...

– Oui. Il faisait nuit. J'ai entendu un bruit de pas, une voix d'homme à quelques mètres devant moi. Il parlait à quelqu'un. J'ai levé la tête. Une voiture a démarré brusquement, sans lumière.

– Et alors ?...

– Et alors, rien. Le taxi est parti de son côté, et moi du mien.

– Et vous n'avez vu personne ?

– Non.

– Essayez de vous rappeler.

– Il faisait noir.

– Les phares du taxi éclairaient loin devant, je suppose ?

– J'ai seulement distingué une forme vague[1]. Elle était de dos. Elle m'a paru très grande.

– Une seule ?

– Une seule quoi ?

– Personne.

– Je n'en ai vu qu'une ; mais je crois qu'ils étaient deux.

– Et la fille ?

---

1. Vague : floue, imprécise, mal définie.

SAUF
LIVRAISONS

HÔTEL
TAXI

– Chikako ?

– Oui. Cette Japonaise qui vient de disparaître. Croyez-vous que…

– Je ne peux rien vous dire de plus, commissaire ; je ne l'ai pas vue. C'est seulement lorsque j'ai appris le lendemain matin sa disparition que j'ai pensé à l'épisode de cette voiture.

Le commissaire a fait la grimace et a secoué la tête. Il est très ennuyé. Chikako est étrangère. De plus, elle est mineure[1]. L'affaire est grave.

– Si tu veux mon avis, ai-je dit à Julie, je crois qu'il s'agit d'un enlèvement[2].

– Pour quelle raison ?

– L'argent.

– Qu'allons-nous faire ? demande-t-elle au commissaire.

– Attendre. Vous n'avez pas le choix. La police va interroger toutes les personnes du groupe. Je vous demanderai, mademoiselle, d'être leur interprète. Bien entendu, vous, monsieur, vous pouvez leur faire visiter un peu la ville. Mais je vous conseille de ne pas trop leur parler de cette disparition.

– Ses amies vont nous poser des questions.

– Répondez-leur que la police est sur une piste sérieuse.

---

1. Mineure : qui n'a pas encore 18 ans.
2. Enlèvement : action de prendre quelqu'un par la force; kidnapping.

– Ils nous demanderont laquelle.

– Eh bien, dites-leur qu'on a trouvé un numéro de téléphone dans son sac à main.

– Et leur professeur ?

– Je m'en occupe, a-t-il répondu avant de nous saluer et de quitter le hall de l'hôtel.

Voilà où nous en sommes, aujourd'hui. Julie et moi sommes très inquiets.

Julie, surtout. Elle n'a pas pu manger de la journée. Pour l'amuser, je lui ai rappelé que le 7 août 1372, Du Guesclin* prenait la ville de Poitiers aux Anglais, il y a donc exactement 627 ans. Mais je n'ai pas réussi à lui changer les idées. Julie ne parle pas. J'ai même le sentiment qu'elle me cache quelque chose.

Le 9 août.

Sept heures du matin. J'ai mal dormi. Toute cette histoire... Je n'ai vraiment pas de chance ! Julie a contacté le directeur de l'agence pour dire ce qui s'est passé. Nos amis japonais gardent leur calme. Ils pensent que Chikako a fait une fugue[1]. Il paraît que c'est une jeune fille instable. De plus, leur professeur nous a dit qu'elle avait des problèmes de famille. Personne ne croit à un enlèvement... sauf moi !

---

1. Fugue : action de fuir son domicile.

Pour le moment, nous restons à Poitiers. L'ancienne capitale de France, ville des couvents* et des casernes[1], est une belle cité qui a su garder son charme médiéval. Il y a beaucoup d'étudiants, quelques monuments remarquables, comme la façade romane de Notre-Dame-La-Grande, du XIIe siècle.

Je t'écris plus tard dans la journée...

13h30

J'ai bien reçu ton message. Tu me demandes comment une jeune fille a pu disparaître de cette façon. Eh bien, je vais te le dire : nous venons d'apprendre qu'elle a été enlevée ! La police a reçu un appel téléphonique. Les ravisseurs[2] demandent cinq millions. Ils veulent l'argent d'ici quarante-huit heures !

Le commissaire nous a demandé de ne rien dire. L'affaire est pour le moment secrète. Raison diplomatique, nous a-t-il dit. Bizarre... Je me demande comment ces hommes sont entrés dans l'hôtel et comment ils sont ressortis avec la petite Japonaise sans se faire voir. Peut-être y a-t-il des complices[3] ? Autre question que je me pose : pourquoi elle, Chikako ?

---

1. Casernes : logement des militaires.
2. Ravisseur : personne qui enlève quelqu'un par la force.
3. Complice : personne qui participe avec quelqu'un à quelque chose de secret.

Poitiers, le 10 août.

Le secret n'a pas duré longtemps. Soixante-douze heures après la disparition de Chikako, le journal *Ouest-France* a publié un article sur l'affaire :

Mystérieuse disparition à l'hôtel Continental de Poitiers

« Une adolescente qui faisait partie d'un groupe de touristes japonais a disparu de sa chambre d'hôtel dans la nuit du 7 août. D'après la police, il s'agit sans doute d'une fugue. Chikako, la jeune fille en question, est jugée par le professeur qui l'accompagne comme une élève fragile et instable.

Soixante-douze heures plus tard, la jeune fille est introuvable. Pourtant, la police a précisé qu'elle ne connaît personne dans la région et que c'est la première fois qu'elle visitait la ville. Affaire à suivre… »

Le commissaire n'a pas parlé d'« enlèvement » ni de la demande d'argent. Il ne veut pas faire peur au groupe. Mais les journalistes ont du mal à croire à cette histoire. D'ailleurs, dans l'après-midi, l'un d'eux est passé me rendre visite à l'hôtel :

– Monsieur Olivier Lafitte ?

– Oui.

– Excusez-moi de vous déranger. Sylvie Aubert. Je suis journaliste. Je travaille pour ce journal que vous avez sous les yeux. Vous permettez que je vous pose quelques questions ?

Je l'ai regardée, un peu surpris.

– Je suppose que vous vous demandez comment je vous connais ?

– Exactement.

– Par une personne de l'hôtel. Un ami à moi. Monsieur Lafitte, vous savez comme moi qu'une jeune fille du groupe que vous accompagnez a disparu ?

– Bien sûr !

– La police croit à une simple fugue. Vous, qu'en pensez-vous ?

– Je n'ai rien à dire.

– Il paraît que, le soir de sa disparition, vous avez été témoin d'une scène étrange devant le *Continental*.

– Qui vous a dit ça?

– Une personne de l'hôtel.

– Décidément, les gens du *Continental* sont très bavards[1].

---

1. Bavard : personne qui parle beaucoup.

– Surtout si on leur propose un généreux pourboire[1] ! Vous pouvez répondre à ma question ?

– C'est vrai. Et après?

– Selon vous, est-ce que cela peut avoir une relation avec la disparition de cette jeune fille?

– Vraiment, je n'en sais rien. Vous savez, il était tard ; je n'ai pas vu grand-chose.

– La police a-t-elle trouvé quelque chose de nouveau sur cette affaire?

– Ce n'est pas à moi qu'il faut poser cette question, c'est au commissaire Delcour.

– Depuis quand faites-vous ce travail ?

– Depuis une semaine.

– Étudiant ?

– Oui. Aux Beaux-Arts.

– Et votre amie ?

– Quelle amie ?

– Cette jeune femme, là, qui parle japonais…

– Oh ! Julie. Julie Barthe. Ce n'est pas mon amie. À vrai dire, je ne la connais que depuis quelques jours. Je crois qu'elle est interprète[2].

– Je viens de l'interroger.

– Et alors ?

– Je la trouve très antipathique[3] ! De plus, j'ai eu l'impression qu'elle me cachait quelque chose.

---

1. Pourboire : somme d'argent donnée en plus lorsque l'on est satisfait d'un service (dans un taxi, un restaurant, à l'hôtel).
2. Interprète : personne qui traduit une langue dans une autre à l'oral.
3. Antipathique : personne que l'on n'aime pas; c'est le contraire de sympathique.

– Vous aussi ?

– Comment ?

– Je veux dire : je la trouve un peu froide[1], en effet.

– Si je comprends bien, vous ne savez rien ?

– Non, rien. Il faut attendre.

– Vous voulez mon avis ?

– Pourquoi pas !

– Je ne crois pas à cette histoire de fugue.

J'ai su que, quelques heures auparavant, Julie est allée voir Delcour, mais elle ne m'a rien dit de son entretien avec le commissaire. Elle est revenue vers dix-huit heures et a regagné directement sa chambre d'hôtel. Mme Suzuki n'a rien osé demander, elle non plus. Elle et moi avons parlé du Futuroscope, que nous venions de visiter, mais j'ai bien vu que sa pensée était ailleurs.

Après dîner, je suis monté dans ma chambre, il devait être vingt et une heures. Je me préparais à prendre un bain quand le téléphone a sonné. C'était le commissaire.

– Du nouveau ? ai-je demandé.

– Rien de très important. Mlle Barthe (c'est-à-dire Julie) vous a parlé de notre conversation, tout à l'heure ?

– Pas un mot. Pourquoi ?

---

1. Froide : personne réservée, distante.

– Simple question. Et Mme Suzuki, comment était-elle aujourd'hui ?

– Comme nous tous. Elle a visité le Futuroscope, mais le cœur n'y était pas[1].

– Et les camarades de la jeune fille disparue ?

– Pareil. Vous savez, les Japonais sont des gens très discrets. Ils ne montrent pas leurs émotions.

– Je comprends... je comprends.

– Je peux vous poser une question, commissaire ? lui ai-je dit alors.

– Bien sûr !

– Pourquoi me cache-t-on la vérité ?

– La vérité ? Mais quelle vérité ?

– Qui est Chikako ? Julie vous a parlé. Elle sait des choses, j'en suis persuadé. Pourquoi ne m'explique-t-on pas les raisons de cette affaire ?

– Vraiment, je ne comprends pas où vous voulez en venir !

– Si, vous comprenez très bien. C'est pourquoi vous m'avez appelé. Pas pour prendre des nouvelles de notre groupe touristique, mais pour essayer de savoir comment je vois les choses. Eh bien voilà, commissaire ! je ne vais pas vous dire comment je vois les choses ; je vais vous poser une simple question : qui est Julie Barthe ?

---

1. Le cœur n'y était pas : ne pas avoir envie de faire quelque chose.

RECEPTION
POLICE
K241
K242

Le 12 août.

Salut, petite sœur !

Aujourd'hui, il pleut. Depuis ce matin, nous sommes à l'hôtel. Nous ne sortons pas. Nous avons joué au Scrabble dans le salon, puis nous avons projeté un diaporama[1] des régions de France que l'agence de voyages nous a envoyé à ma demande. Je ne sais pas combien de temps nous allons rester ici, mais cela devient insupportable.

La police a vérifié l'emploi du temps de tout le personnel de l'hôtel. Elle a interrogé chaque personne. Le réceptionniste se souvient d'un homme grand, en costume sombre. La police en a fait un portrait-robot[2] de ces deux personnes. L'homme semble correspondre à celui que j'ai vu monter dans la voiture. Mais je n'en suis pas sûr.

1. Diaporama : action de projeter des diapositives sur un écran.
2. Portrait-robot : dessin du visage d'une personne réalisé à partir de témoignages.

Par trois fois, Julie est allée dans sa chambre téléphoner au commissaire, discrètement[1], comme si elle ne voulait pas me mettre au courant de ses relations avec lui. Je le sais parce que la seconde fois j'ai écouté derrière sa porte (eh oui !). Je n'ai pas pu entendre la conversation, mais elle a répété à plusieurs reprises les mots de « père » et « commissaire ».

Je fais comme si je ne me rendais compte de rien. Tout à l'heure, alors qu'elle se trouvait aux toilettes, j'ai fouillé[2] dans son sac. J'y ai trouvé sa carte d'identité.

Julie Barthe, née le 1er août 1961 à Washington.

Incroyable, non ?

Aussi je vais te demander un service : peux-tu chercher des renseignements sur cette Julie Barthe ? Qui sont ses parents ? Quelles études a-t-elle suivies ? A-t-elle des frères et sœurs ? Pour qui a-t-elle travaillé, etc ? Je crois que nous allons trouver des choses intéressantes...

---

1. Discrètement : de manière discrète, sans se faire remarquer.
2. Fouillé : inspecter, explorer un lieu pour trouver quelque chose.

Washington, le 13 août.

Mon grand frère adoré,

J'ai fait les recherches que tu m'as demandées le plus vite possible. Par chance, mon petit ami (il s'appelle Nick) travaille au service des visas.

Ta collègue Julie Barthe est la fille d'un diplomate[1] français, Roger Barthe. Il a été ambassadeur aux États-Unis, puis au Japon. Aujourd'hui, il est à la retraite. Il vit dans le sud de la France, avec sa femme. Il possède trois appartements : un à Washington, un à Tokyo, un troisième à Paris.

Sa fille, Julie, a fait des études de sciences politiques. Elle est spécialiste des questions japonaises. J'ignore pourquoi elle a décidé d'accompagner ce groupe de touristes japonais mais, comme tu le supposais, ce n'est pas son vrai métier. Si tu veux mon avis, elle a accompagné ce groupe pour une raison précise. Et cette raison,

1. Diplomate : personne chargée des relations internationales entre plusieurs pays.

ce n'est pas la visite des châteaux, ni la découverte de la gastronomie de la région de la Loire !

Comme ton histoire m'intéresse et que, à la lecture du dossier de Julie, une idée m'est venue en tête, j'ai demandé à Nick (mon petit ami) de m'aider à nouveau, et voilà ce que nous avons découvert : Chikako, ta Japonaise disparue, est la fille d'un diplomate (elle aussi) japonais : Yasuro Toyotoshi. Ce dernier connaît très bien la famille Barthe. La preuve : le père de Julie lui a prêté son appartement de Washington le mois dernier. Ça, c'est le gardien de l'immeuble qui me l'a dit.

Tu connais les trois questions que doit se poser tout bon policier : Qui ? Pourquoi ? Comment ? Je viens de te donner les réponses à la première question. À toi de trouver celles des deux autres !

Je t'embrasse,

Myriam.

Le 14 août.

Hier, quand j'ai reçu ton « mel », je suis monté voir Julie dans sa chambre d'hôtel. Je lui ai dit ce que je savais. Elle était très étonnée. Elle m'a demandé comment j'ai fait pour obtenir ces renseignements. Je lui ai répondu : « Moi aussi j'ai mes secrets. » Puis nous avons parlé.

– C'est vrai, je t'ai menti, a-t-elle commencé par dire.

– Pourquoi ?

– Parce que je ne pouvais pas faire autrement.

– Quel est ton rôle dans cette histoire ?

– Surveiller[1] Chikako.

– J'ai l'impression que tu as échoué[2] dans ta mission.

– Tu ne sais pas tout.

– Eh bien raconte… je suis là pour ça !

– Je ne peux pas. Pas encore.

---

1. Surveiller : faire attention à quelqu'un dont on est responsable.
2. Échouer : ne pas réussir, rater quelque chose.

– Et les autres ?
– Quels autres ?
– Suzuki. Ses élèves.
– Ils ignorent tout.
– Chikako et toi, vous vous connaissiez avant ?
– Oui. Son père est un ami du mien.
– Pourquoi devais-tu la protéger ?
– Parce que son père a reçu des menaces[1].
– De qui ?
– Personne ne sait.
– Pourquoi a-t-il fait appel à toi et non à la police française ?
– Parce qu'il me connaît, parce que je parle japonais et que je peux rester avec Chikako sans éveiller de soupçons[2].
– Le problème, c'est que Chikako a disparu.
– Je sais où elle se trouve.

Julie n'a pas voulu m'en dire plus aujourd'hui, mais elle m'a promis de me dire toute la vérité dans quarante-huit heures.

---

1. Recevoir des menaces : recevoir des signes (lettres, coups de téléphone, etc.) qui expriment un danger contre soi.
2. Éveiller des soupçons : provoquer une réaction de doute.

Poitiers, le 15 août.

Beaucoup de monde dans le hall de l'hôtel ce matin. Au début, j'ai cru que c'était à cause de la fête de la Vierge[1], mais pas du tout. La police a arrêté un homme au moment où nous prenions, Julie et moi, notre petit déjeuner. Il était devant nous, assis dans un fauteuil, en train de lire un journal. Le commissaire était présent, lui aussi. Il paraissait de mauvaise humeur. Peut-être parce qu'il travaillait un jour férié[2] !

« Vos papiers, s'il vous plaît », a dit l'un des policiers. Puis : « Suivez-nous, je vous prie. »

L'homme s'est levé, le visage souriant, très calme. Il a regardé tour à tour Julie et le commissaire.

– Si je comprends bien, madame aussi est de la police ?

1. Fête de la Vierge : fête religieuse, le 15 août, en l'honneur de la Vierge Marie.
2. Jour férié : jour où l'on ne travaille pas, jour de repos qui correspond à une fête civile ou religieuse.

POLICE

TEL

– Non, c'est une amie de celle que vous cherchez.

– Mais… je ne cherche personne !

– Vous nous expliquerez cela plus tard, Monsieur Reibel. Allons-y !

Nous les avons regardés emmener l'inconnu, Julie et moi. Quelques instants plus tard, une femme sortait de l'hôtel, menottes[1] aux mains. Julie ne semblait pas surprise. Mme Suzuki est venue vers nous. Elle nous a demandé ce qui se passait.

– Vous voyez, dis-je, la police vient d'arrêter deux personnes.

– Et notre Chikako, l'a-t-on retrouvée ?

– Je crois que oui, a répondu Julie. D'ici cet après-midi, elle sera de nouveau avec nous. Et demain, nous pourrons aller à Chenonceaux.

– À présent, dis-je à Julie au moment où le professeur nous tournait le dos, j'attends des explications !

– Laisse-moi encore un peu de temps, m'a-t-elle répondu en approchant son visage du mien.

18 heures

Chikako est arrivée vers seize heures, seule et avec le sourire, comme si elle rentrait de pro-

1. Menottes : objet en métal relié par une chaîne que l'on fixe aux poignets des prisonniers.

menade. Ses camarades, qui se trouvaient dans le hall, ont couru vers elle et l'ont embrassée. Bien sûr, elles ont voulu savoir. Chikako leur a dit qu'elle préférait attendre leur retour au Japon pour tout leur expliquer. Puis elle s'est dirigée vers Julie. Elle l'a prise dans ses bras et l'a remerciée.

– Cela n'a pas été trop long ? a demandé Julie.

– Non ; ils ont été très gentils avec moi. Le seul problème, c'est que je ne pouvais pas sortir; c'était interdit.

– Il fallait faire très attention. Personne ne devait savoir où tu étais.

Nous nous sommes regardés, Mme Suzuki et moi. On ne comprenait rien à ce qui se passait. Nous avons jeté un œil[1] vers Julie. Elle a compris ce que nous voulions et nous a demandé de l'attendre dans le salon.

Chikako est montée avec ses camarades, et quelques minutes plus tard Julie apparaissait, accompagnée du commissaire Delcour.

– Je suppose que vous attendez des explications, dit-elle en s'asseyant devant nous.

– Mme Suzuki, surtout, ai-je dit. La pauvre dame est inquiète pour Chikako. Elle veut savoir ce qui est arrivé.

– Je suis désolé, madame. Mais je ne pouvais

---

1. Jeter un œil : regarder rapidement.

pas parler. Même pas à Olivier, mon collègue. La seule personne à qui j'ai tout expliqué, c'est le commissaire Delcour, ici présent.

Avant de prendre la parole, le commissaire a regardé Julie, le professeur, et a tourné la tête vers moi.

– Le soir de la disparition de Chikako, Julie est venue me voir. Nous avons parlé. Longtemps. Elle m'a tout expliqué. Elle m'a demandé conseil. Je lui ai dit que je pouvais l'aider. Julie a fait son travail : un bon, un très bon travail. Je préfère qu'elle vous raconte elle-même toute l'histoire.

– Voilà : mes parents connaissent la famille de Chikako depuis qu'elle est toute petite. Le père de Chikako est un diplomate qui a travaillé dans plusieurs pays. Mon père est aujourd'hui retraité, mais lui aussi a travaillé à l'étranger de longues années. C'est comme ça qu'ils se sont connus.

« Il y a environ un an, le père de Chikako, M. Toyotoshi, a reçu des menaces par téléphone. Au début, il n'y a pas prêté attention. Il croyait à une mauvaise plaisanterie[1]. Mais les appels se sont répétés, et un jour, Mme Toyotoshi a été victime d'un accident de voiture. Son chauffeur a été tué. Par chance, elle n'a été que légèrement blessée. Le lendemain de l'accident, M. Toyotoshi

---

1. Mauvaise plaisanterie : blague, farce désagréable, de mauvais goût.

a reçu un coup de téléphone. Quelqu'un lui expliquait la raison de l'accident de voiture et lui demandait un million de dollars. M. Toyotoshi a refusé. Alors l'inconnu a dit qu'il allait recommencer ; cette fois avec sa fille. M. Toyotoshi a pris peur. Bien sûr, il pouvait faire surveiller sa fille à Kyoto, entre l'école et la maison, mais au-delà[1], comment allait-il faire ? Son voyage en France était déjà prévu[2], toutes ses camarades y allaient, il ne pouvait pas le lui refuser. Il sentait cet inconnu prêt à tout. Pour un million de dollars, il était capable de faire le voyage en France et d'enlever sa fille.

– Et c'est à ce moment qu'il a décidé de faire appel[3] à ta famille...

– Oui. Il a d'abord téléphoné à mes parents et leur a expliqué toute l'affaire. Mon père a essayé de le convaincre[4] d'en parler à la police, mais il a refusé. Trop dangereux, disait-il. Pour lui, l'important, c'était d'éviter que quelqu'un approche sa fille pendant ses vacances en France.

– C'est alors qu'il a pensé à toi.

– C'est mon père qui lui a proposé. Au début, M. Toyotoshi ne voulait pas, de peur de me mettre en danger. Mon père lui a dit que je ne

---

1. Au-delà : plus loin, après cette limite.
2. Prévu : programmé, établi, mis en place.
3. Faire appel : demander.
4. Convaincre : persuader.

BOUCHERIE

courais aucun risque puisque personne ne me connaissait. Alors, Toyotoshi a fini par accepter. Nous avons imaginé un plan. Mon père a contacté le directeur de l'agence de voyages. Il lui a demandé de me prendre à l'essai[1] pendant un mois parce que j'avais besoin d'un stage pratique pour mon diplôme de langues. Comme je parle couramment japonais, le directeur a accepté tout de suite. Puis il a fallu expliquer à Chikako pourquoi je l'accompagnais. Chikako est une grande fille : nous lui avons dit la vérité ; j'étais là pour la protéger, elle ne devait pas avoir peur...

Le commissaire a allumé une cigarette. Il a pris l'air ennuyé de quelqu'un qui perd son temps à écouter une histoire qu'il connaît déjà.

– Très vite, je me suis aperçue que quelqu'un nous surveillait. Je m'attendais à voir un Japonais : c'était un Européen. Grand, blond ; un physique d'athlète. Il nous suivait depuis Paris. Sans doute travaillait-il au service du principal responsable. J'ai compris qu'il attendait une occasion pour approcher Chikako. Tenez, regardez, a-t-elle dit en tirant de son sac un cahier : tout est noté sur ces pages....

J'ai jeté un coup d'œil rapide sur les premières pages du cahier :

---

1. Prendre à l'essai : tester les capacités de quelqu'un avant de lui donner le travail.

« *4 août* : à 13 heures, un homme est vu dans l'*Hôtel du Château* à Blois, assis dans le hall, en train de lire un journal. Il porte des lunettes noires et tourne la tête de temps en temps vers nous.

À 13 h 15, l'homme téléphone d'une cabine située en face de l'hôtel.

À 13 h 30, un taxi vient le prendre.

5 août : le même homme est aperçu au château de Chambord, en compagnie d'une jeune femme. Tenue différente, chapeau, lunettes de soleil. Ils suivent le groupe toute la journée, jusqu'à l'hôtel. Il conduit une Peugeot 406 noire. Voiture identique à celle vue à Chartres devant la cathédrale.

7 août : une voiture, modèle Peugeot 406, attend en face de l'hôtel *Continental*, depuis 6 h 30 ce matin. Un homme et une femme sont à l'intérieur…

7 août : 13 h 30. La femme s'est approchée du groupe des filles durant le déjeuner. Elle a parlé à l'une d'entre elles. Après le dessert, elle a apporté un livre d'art sur les châteaux de la Loire. Heureusement, Chikako discutait avec Olivier. Elle est restée avec lui jusqu'au signal du départ pour l'abbaye de Montierneuf… »

J'ai levé les yeux vers Julie, lui indiquant de continuer :

– Je devais agir vite : j'ai contacté mon père, je lui ai dit ce que je voulais faire. Papa a tout de suite accepté et il a fait le voyage Nice-Poitiers en voiture…

Il y a eu un nouveau moment de silence. Mme Suzuki a regardé Julie ; elle attendait la fin de cette affaire avec impatience[1].

– C'était mardi dernier. Toute la journée, j'ai surveillé les allées et venues[2] de cet homme. La femme aperçue dans la voiture était avec lui. Leur chambre se trouvait au même étage que celle de Chikako. Je l'ai prévenue et lui ai dit ce que nous allions faire…

À son tour, Julie a pris une cigarette de son sac et l'a allumée.

– Nous avons attendu la nuit pour agir. À 22 h 30, Chikako est sortie de sa chambre. Elle est passée devant le réceptionniste, qui l'a saluée. À l'entrée de l'hôtel, un homme l'attendait…

– Ton père ?

– Oui, mon père.

– Si je comprends bien, c'est lui que j'ai aperçu ce soir-là devant l'hôtel !

– Exactement. Par chance, tu n'as pas vu Chikako monter dans la voiture ; et lorsque la police a interrogé le personnel de l'hôtel, le réceptionniste a dit avoir remarqué Chikako sortir vers 22 h 30. Ainsi, tout le monde pouvait

---

1. Impatience : état d'une personne qui n'aime pas attendre.
2. Allées et venues : action de faire plusieurs fois le même chemin.

croire à une fugue. En vérité, Chikako se trouvait dans un lieu sûr[1].

– Et je suppose que le commissaire était au courant[2] ?

– C'est lui qui a trouvé l'endroit où garder notre amie.

Je me suis alors tourné vers le commissaire Delcour.

– Pourquoi n'avez-vous pas arrêté à ce moment le couple en question?

Delcour s'est mis à tousser[3], puis m'a regardé d'un air amusé, l'air de dire : « Encore un qui croit que les choses se passent simplement, comme dans les films ! »

– Nous avions besoin d'une preuve. Suivre un groupe de touristes n'est pas une faute aux yeux de la loi. Nous avons donc décidé de mettre leur chambre sur table d'écoute[4]. Hier, le téléphone a sonné chez eux. Pour la première fois. Quelqu'un les appelait du Japon. La personne leur parlait en français. Ils lui ont raconté toute l'histoire : l'itinéraire de voyage du groupe, leur surveillance depuis Paris jusqu'à la disparition de Chikako et l'hypothèse d'une fugue selon la police. L'inconnu

---

1. Un lieu sûr : un endroit protégé, sans danger.
2. Être au courant : être informé, savoir.
3. Tousser : chasser de l'air par la bouche en faisant du bruit.
4. Table d'écoute : système qui permet d'écouter et d'enregistrer les conversations téléphoniques privées.

leur a dit d'attendre le retour de la jeune fille. Après tout, personne ne les connaissait, c'était des touristes comme les autres. Il leur a parlé d'argent : cinquante mille dollars de plus si tout se passait bien. Puis il a raccroché. À présent, nous avions une preuve ; nous pouvions les arrêter.

– Ont-ils avoué[1] ?

– La femme, oui. L'homme, pas encore. Mais il est connu des services de police de la région : Jean Reibel, trafiquant[2], spécialisé dans la revente de faux parfums. Nous avons envoyé l'enregistrement de la conversation téléphonique à la police japonaise. Elle a déjà trouvé le numéro et le lieu de l'appel. D'ici demain, M. Toyotoshi connaîtra le nom de son agresseur[3].

---

1. Avouer : dire la vérité au sujet d'une faute que l'on a commise, reconnaître.
2. Trafiquant : personne qui a une activité commerciale malhonnête.
3. Agresseur : personne qui attaque, physiquement ou verbalement, une autre personne.

Le 16 août.

Petite sœur adorée,

Il nous reste six jours de voyage. Il faut en profiter. Au programme, les châteaux de Villandry, Chenonceaux et Azay-le-Rideau. Ils font partie des plus belles constructions Renaissance de la région. Petit déjeuner à 7 h 15. Sortie de l'hôtel une heure plus tard. Première étape : Chenonceaux. Julie est à mes côtés, le visage reposé, les yeux brillants de bonheur. Elle écoute avec le groupe l'histoire de Chenonceaux que je raconte, debout près des rives du Cher[1] qui passe sous le pont du château. C'est l'un de leurs châteaux préférés. Elles le trouvent très « féminin ». Il faut dire que ce sont deux femmes qui ont dirigé une grande partie des travaux ! Mais je crois que ce qu'elles aiment le plus, c'est l'effet de transparence[2] du château

1. Le Cher : rivière de la région.
2. Transparence : qui se laisse traverser par la lumière et dont l'image se reflète dans l'eau.

dans les eaux du Cher. La vision est magnifique, l'impression de sérénité[1] totale. C'est peut-être pour cette raison que Jean-Jacques Rousseau* y a écrit *l'Emile** !

Le château de Villandry est tout aussi beau, à mon avis. Nous l'avons visité cet après-midi. Nous avons rencontré le commissaire dans les jardins. Il nous cherchait depuis le déjeuner. Il voulait savoir si tout allait bien. Puis nous avons parlé de Villandry. Il aimait beaucoup cet endroit, à cause de son jardin potager[2], ses herbes médicinales[3], ses légumes, ses fleurs, ses arbres fruitiers. Il possède un jardin potager, lui aussi, mais il n'a pas le temps de s'en occuper.

Nous sommes allés ensemble admirer les tapisseries flamandes* et le mobilier[4] du XIVe siècle. Je me suis aperçu que le commissaire était une personne très cultivée*, sensible et amoureux de sa région.

Puis il nous a donné rendez-vous pour le soir au château d'Azay-le-Rideau, aux environs de vingt et une heures.

– Nous avons déjà prévu d'y aller, lui ai-je dit. Il y a, paraît-il, un très beau spectacle son et lumière, animé par des personnages habillés en

---

1. Sérénité : paix, grande tranquillité.
2. Jardin potager : jardin où l'on cultive des légumes.
3. Herbes médicinales : plantes qui soignent les gens.
4. Mobilier : ensemble des meubles d'une pièce.

costumes de la Renaissance.

– C'est exactement pour cette raison que je vous ai proposé de venir. Je vais même vous révéler[1] un secret : je fais partie de la troupe*.

– Ah oui ? Et quel rôle jouez-vous ?

– Celui de François Ier !

1. Révéler : dire, dévoiler

L'art et l'Histoire

Abbayes : couvent, bâtiment religieux.

Architecture : art de construire des bâtiments (maisons, châteaux, églises...).

Art gothique : art architectural qui se développe en Europe à partir du XIIe siècle et jusqu'à la Renaissance.

Art roman : art qui se développe en Europe aux XIe et XIIe siècles.

Balzac (Honoré de) : écrivain français du XIXe siècle. Auteur de *La comédie humaine*.

Cathédrale : grande église.

Chateaubriand (François René de) : écrivain romantique français (1768-1848).

Couvent : pensionnat de jeunes filles tenu par des religieuses.

Cultivé : personne qui connaît beaucoup de choses dans le domaine culturel.

Donjon : tour principale d'un château fort, qui est aussi la demeure du seigneur.

Du Guesclin (1320-1380) : célèbre chevalier qui a travaillé au service du roi de France.

Émile ou de l'Éducation : un des ouvrages de Rousseau, qui raconte l'Éducation d'un enfant sans parents.

Escalier Renaissance : de style Renaissance (voir ce mot).

Faculté des Beaux-Arts : université où l'on étudie l'architecture, les arts plastiques et graphiques.

François Ier : roi de France (1515-1547).

Futuroscope : parc d'attractions qui présente les technologies de l'avenir. Ouvert depuis 1987.

Gaudi (Antonio): architecte espagnol (1852-1926). Son œuvre principale, l'église de la *Sagrada Familia*, se trouve à Barcelone.

Léonard de Vinci (1452-1519) : célèbre artiste et savant italien, mort près d'Amboise.

Médiéval : de l'époque du Moyen Âge.

Rabelais (François) : écrivain français (1494-1553). Modèle des humanistes de la Renaissance.

Renaissance : mouvement de rénovation culturelle en Europe aux XVe et XVIe siècles.

Ronsard (Pierre de) : poète français du XVIe siècle (1524-1585).

Rousseau (Jean-Jacques) : écrivain et philosophe suisse de langue française du XVIIIe siècle (1712-1778). Une des principales figures du siècle des Lumières.

Sainte-Chapelle : chapelle construite au XIIIe siècle pour le palais de la Cité à Paris.

Sculptés : objets (pierre, bois, etc.) taillés par différents outils.

Tapisseries flamandes : panneaux décoratifs faits de motifs tissés (ici, qui viennent de la région de Flandre, en Belgique).

Troupe : groupe de comédiens qui jouent des pièces de théâtre.

Vitraux : composition décorative formée de pièces de verre colorées que l'on trouve dans les bâtiments religieux. Au singulier : vitrail.

Lettre du 2 août

1. Comment s'appelle le personnage principal de l'histoire ? Que fait-il dans la vie ?

2. À qui écrit-il ?

3. Où vit la personne à qui il écrit ?

4. Que va faire Olivier pendant l'été ? Qui l'accompagne ?

Lettre du 4 août

1. Quelle est la particularité du groupe qu'accompagne Olivier ?

2. Quel est le monument que le groupe de touristes visite en premier ?

3. Où les parents de Julie travaillaient-ils auparavant ?

4. Pourquoi Julie connaît-elle autant de langues ?

Lettre du 5 août

1. Pourquoi Olivier a ressenti « un malaise » pendant sa visite du château de Chambord ?

Lettre du 7 août

1. Pourquoi Olivier a-t-il vécu « des heures difficiles » ?

2. Qu'a-t-il vu le soir, à son retour du restaurant ?

Lettre du 9 août

1. Quelle est la principale nouvelle de la journée ?

Lettre du 10 août

1. Que pense la journaliste à propos de la disparition de Chikako ?

2. Qui appelle Olivier au téléphone ? Pourquoi ?

3. Quelle est la question principale que pose Olivier à son interlocuteur ? Pourquoi ?

Lettre du 12 août

1. Quel service Olivier demande-t-il à sa sœur ? Pourquoi ?

Lettre du 13 août

1. Qui est en vérité Julie Barthe ? Comment a-t-elle connu Chikako ?

Lettre du 14 août

1. Que décide de faire Olivier lorsqu'il reçoit le courrier de sa sœur ?

Lettre du 15 août

1. Que se passe-t-il dans la matinée du 15 août ?

2. Quel genre d'appels téléphoniques a reçus M. Toyotoshi, père de Chikako ?

3. Qu'est-il arrivé à Mme Toyotoshi ?

4. Julie montre un cahier au professeur Suzuki et à Olivier. Qu'y a-t-il à l'intérieur ?

5. Le père de Julie a fait le voyage Nice-Poitiers. Pourquoi ?

6. Qui est Jean Reibel ? Pourquoi est-il connu de la police ?

Lettre du 16 août

1. Quels châteaux le groupe va-t-il visiter ?

2. Que leur annonce le commissaire, rencontré dans les jardins de Villandry ?

Édition : Michèle Grandmangin

Illustration de couverture : Dominique HÉ.
Coordination artistique : Catherine Tasseau

Illustrations de l'intérieur : Dominique HÉ.

Réalisation PAO : Marie Linard

N° de projet 10101951 - (V) - 11 - (OSBA 80°) - Janvier 2003

Imprimé en France par l'imprimerie France Quercy - 46001 Cahors
N° d'impression : 23163